Cantos y danzas populares de Europa

dve
JUNIOR

Proyecto de Giuseppe Presti y Nicoletta Romanelli.

Interpretación de Jorge Castellote, Paolo Graziano, Markus Grill,
Willhelmine Meyer, Daniela Tondini, Bénédicte y Natalia Vigezzi, Carole Provost

Dibujos de Federica Iossa.

Diseño gráfico de la cubierta de Maurizio Rodriguez.

Traducción de Nieves Nueno Cobas.

© Editorial De Vecchi, S. A. U. 2005
Balmes, 114. 08008 BARCELONA
ISBN: 84-315-3267-X

Introducción

Quién sabe cuántas veces, en el transcurso de viajes a través de lugares que han llamado tu atención, has comprado un recuerdo en el mercado del pueblo, has recogido un puñado de arena para guardarla en un frasquito de vidrio, has conservado conchas, piedras, maderas pulidas por el mar, has coleccionado tarjetas postales.

Y luego al volver a casa, a veces mucho tiempo después, has encontrado estos preciosos recuerdos de los que tal vez te habías olvidado y has revivido con emoción aquellos momentos de alegría.

La música, como la fotografía de un paisaje, un monumento o un traje regional, puede representar un pueblo, un país y una cultura, y ayudarnos a vivir con emoción el espíritu de esa tierra.

Este libro te ayudará a viajar con la música por Europa, proponiéndote cantos y danzas de muchos países que forman parte de ella. Siguiendo los pasos de la Troika te parecerá conducir tu trineo entre las extensiones nevadas de Rusia; ¡cantando el divertido Drunken Sailor podrás fingir que tú también eres un marinero irlandés que se enfrenta con su grumete holgazán!

La música nos habla a todos con la misma lengua, ayudándonos a captar el espíritu de cada pueblo. Te dará gran alegría descubrirlo, leyendo y jugando con este libro.

3

Para empezar

Te damos a continuación algunas sugerencias
que te ayudarán a utilizar el texto sin dificultad.

En las danzas

Dirección horaria:
la que sigue las agujas del reloj.

Dirección antihoraria:
la que procede en sentido contrario respecto
a las agujas del reloj.

Colocación libre:
colocarse a voluntad en el espacio
disponible.

Círculo:
colocarse todos formando una circunferencia
con la mirada dirigida hacia el centro.

Corro:
en círculo, cogiéndose de la mano, con la
mirada dirigida hacia el centro.

Fila:
colocarse en una línea, mirando todos en la misma dirección.

Fila doble:
colocarse en dos líneas paralelas, mirándose.

Salto:
saltar de forma progresiva alternando los pies.

Galope lateral:
abrir y cerrar las piernas avanzando en sentido lateral.

En los cantos

Para cada canto te proponemos la partitura (la línea del canto escrita en el pentagrama), el texto en la lengua original y una traducción al español. Escuchando el CD podrás seguir las melodías en el pentagrama y reproducirlas cantando solo o con un grupo de amigos.

El pentagrama se compone de 5 líneas y 4 espacios, y alberga las notas que constituyen la melodía. Según la forma en que se sitúan en el pentagrama, las notas tienen nombres y alturas distintas. Son estas:

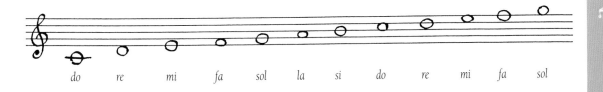

do   re   mi   fa   sol   la   si   do   re   mi   fa   sol

Troika (Rusia)

Es una de las danzas más populares del folclore ruso. La palabra *troika* hace referencia al trineo o el carro tirado por caballos. En efecto, en esta danza, grupos de tres bailarines se colocan de forma que imitan el trineo con los dos caballos delante y el conductor más atrás.

Esta es la melodía de toda la pieza.

La balalaica

La melodía de la troika es interpretada a menudo con un instrumento típico, la balalaica, que en Rusia se considera el instrumento nacional.

Es de forma triangular, con el fondo plano, y tiene un largo mástil en el que se tensan tres cuerdas que son pellizcadas con los dedos o bien con una púa. Existen diversos formatos, con los que se constituyen auténticas orquestas.

Posición de partida

Grupos de tres bailarines: dos de ellos se sitúan más adelante, para imitar a los caballos de la troika, y uno más atrás conduciendo el trineo.

Estructura de la danza

(a)

Se dan 16 pasos corriendo: los bailarines que imitan a los caballos doblan y levantan las rodillas; el bailarín que conduce corre con las piernas rígidas.

El bailarín n.º 1 pasa bajo el puente formado por los bailarines n.º 2 y 3.

El bailarín n.º 2 pasa bajo el puente formado por los bailarines n.º 1 y 3.

Los diversos grupos de tres bailarines (las troikas) forman un círculo en sentido antihorario.

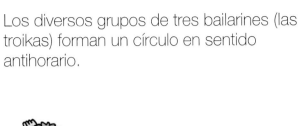

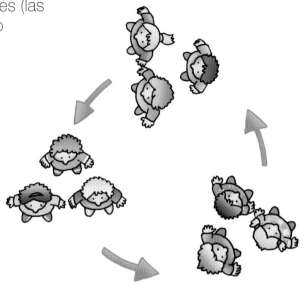

Los tres bailarines se cogen de las manos formando un pequeño círculo y giran en sentido horario.

Movimiento alterno de pies con el final de la frase musical, como se indica en la partitura.

Se repite la secuencia del punto anterior, pero en sentido antihorario.

Taler, Taler (Alemania)

Es una danza-juego donde una moneda (Taler, el antiguo *tálero*) se deja deslizar entre las manos de uno de los jugadores. ¡Os toca adivinar quién ha cogido el tálero!

El tálero

Es una moneda de plata que se utilizaba antiguamente en Bohemia (desde 1518). Como el metal provenía de la mina checa de Joachimstahl, la moneda tomó el nombre de Joachimtaler y San Joaquín (Joachim) aparecía en ella.

Esta es la melodía de toda la pieza.

Ta – ler   Ta – ler du musst wan – dern von der   ei – nen Hand zu   an – dern. Das ist

schön das ist   schön Ta – ler   lass dich nur nicht   sehen

Taler, Taler

Taler, Taler
du musst wandern
von der einen Hand
zu andern.
Das ist schön
das ist schön,
Taler, lass dich nur nicht sehen!

Tálero, Tálero

Tálero, Tálero
pasa ya
de una mano
a la otra.
Ven hacia acá,
ve hacia allá,
¡nadie sabe dónde estás!

Estructura de la danza

Hay que colocarse en círculo mirando hacia el centro.

Siguiendo el ritmo de la música, hay que desplazarse de lado en sentido antihorario.

Para desplazarse, se da un paso lateral hacia la derecha con el pie derecho, se prosigue con el izquierdo juntando los pies, y así sucesivamente.

Al mismo tiempo las manos se abren y se cierran, siguiendo el ritmo de los pasos.

Antes de comenzar la danza, se escoge a un jugador-bailarín que se coloca dentro del círculo.
Entre las manos, cerradas, esconde una moneda, que representa el *Taler* que da título a la pieza.
Desplazándose al ritmo de la danza en dirección opuesta a la de los demás bailarines, deberá pasar de uno a otro introduciendo sus manos entre las manos de los compañeros.

Antes del final de la pieza deberá dejar caer la moneda en las manos de uno de ellos, sin que se den cuenta los demás.

El juego consiste en adivinar quién ha recibido la moneda. El jugador-bailarín que lo adivine ocupará su lugar a continuación.

Danza del zapatero (Polonia)

Esta danza imita sonidos, ruidos y gestos del oficio de zapatero. La aguja que cose el empeine, el martillo que golpea los clavos y el merecido descanso al final del trabajo dan vida a una danza festiva y... ¡ruidosa!

Esta es la melodía de toda la pieza.

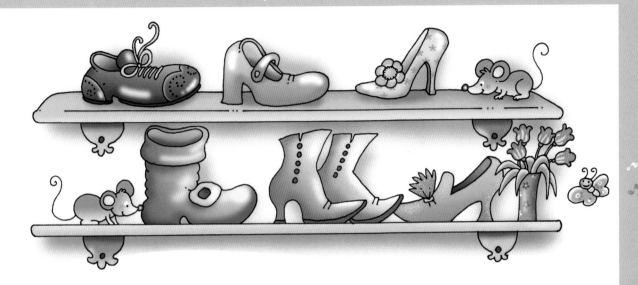

Estructura de la danza

Los bailarines se distribuyen libremente en el espacio.

Los más pequeños pueden divertirse imitando los gestos del zapatero. Fingirán que sostienen con una mano un zapato y con la otra aguja e hilo, e imitarán la acción de coser.

b)

Siguiendo el ritmo de la música, hay que dar palmadas para imitar el sonido del martillo contra los tacones de los zapatos.

c)

Al ritmo saltarín de la música, cada bailarín coge por el brazo a otro formando parejas que giran primero en sentido horario (brazo derecho) y luego en sentido antihorario (brazo izquierdo).

Danza de los tejedores
(Francia)

El nombre de la danza francesa tiene su origen en el movimiento del telar al tejer.

Las parejas se mueven con pasos alternos, a fin de crear un dibujo que recuerda la densa trama de un tejido.

Esta es la melodía de toda la pieza.

Estructura de la danza

Por parejas los bailarines se cogen de la mano, uno frente a otro, y forman una fila.

A cada pareja se le asigna el número 1 o el 2, de forma alternativa.

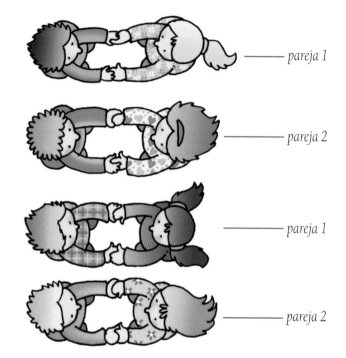

—— pareja 1

—— pareja 2

—— pareja 1

—— pareja 2

(a)

Las parejas 1 avanzan con cuatro pasos en una dirección, mientras las parejas 2 hacen lo mismo, pero en dirección opuesta.

Las parejas dan cuatro pasos en dirección opuesta a la anterior. Se repite todo dos veces.

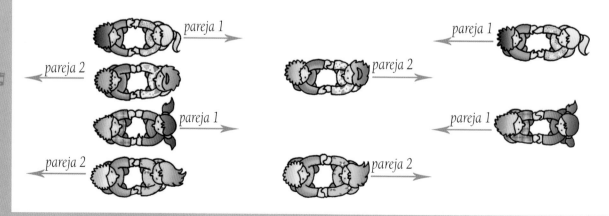

ⓑ

Las parejas están dispuestas como al principio de la danza, pero sin cogerse de la mano, formando un pasillo.

La primera pareja en posición de galope lateral entra en el pasillo y lo recorre por completo, mientras las demás parejas dan palmadas al ritmo de la música.

Todas las parejas repiten una tras otra el galope lateral.

Danza del molino (Alemania)

Se trata de una danza-juego para la que se necesita una larga cuerda y tantas cintas o pañuelos como niños haya. La danza imita el movimiento de la rueda y la carrera de los caballos que transportan la carga de los sacos de harina.

Esta es la melodía de toda la pieza.

Estructura de la danza

Disposición en círculo mirando hacia el centro. Todos sujetan la cuerda con las manos.

Al ritmo de la música hay que moverse de lado en dirección antihoraria comenzando con el pie derecho hacia la derecha. Al mismo tiempo las manos siguen el avance de los pies, sujetando la cuerda: esta es la rueda del molino.

(b)

Fase de transición: preparar la mano que sostiene la cinta y detenerse en espera de C.

(c)

Retener la cuerda con la mano izquierda, mientras la derecha agita la cinta previamente atada a la muñeca.

En dirección antihoraria se imita el trote de un caballo, siguiendo el ritmo más vivo de la música.

Vent frais (Francia)

Este antiguo canto popular francés nos habla
del viento, el viento fresco de la mañana
que sopla ligero sobre la copa
de los árboles, como
creando una melodía,
un canto.

Vent frais

Vent frais, vent du matin
vent qui souffle
aux sommets des
grands pins.
Joie du vent qui souffle
allons dans le grand vent
vent frais, vent du matin...

Viento fresco

Viento fresco, viento de la mañana,
viento que sopla
sobre la copa de los abetos,
viento que danza,
viento que canta,
viento, viento fresco.

Interpretemos el «canon»

Esta pieza puede ser interpretada por una sola persona, un pequeño grupo o un coro, pero si queremos hacerla aún más bonita podemos realizar un canon.

En música se usa el término *canon* para indicar un tipo particular de composición en el que una persona o un grupo de personas comienza a cantar una melodía y prosigue hasta el final; un segundo grupo recupera el mismo tema más adelante, en un punto concreto, y lo mismo hace un tercer grupo.

Te parecerá oír un eco, voces que se persiguen y se superponen, justo como hace el viento.

Sigue la línea melódica y escucha el CD. En la partitura hallarás indicado cuándo deben «entrar» las diversas voces para interpretar un canon a 3.

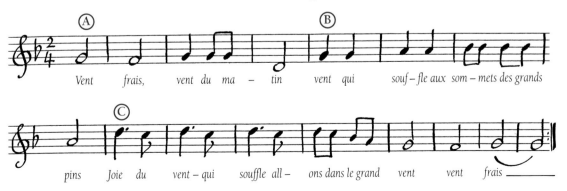

Ⓐ *Vent frais, vent du ma - tin vent qui* Ⓑ *souf - fle aux som - mets des grands* Ⓒ *pins Joie du vent - qui souffle all - ons dans le grand vent vent frais ___*

Sur le pont d'Avignon (Francia)

Pero ¿qué sucede sobre el puente de una de las ciudades francesas más bellas, Aviñón? Allí se encuentran damas y caballeros, dispuestos a inclinarse y danzar.

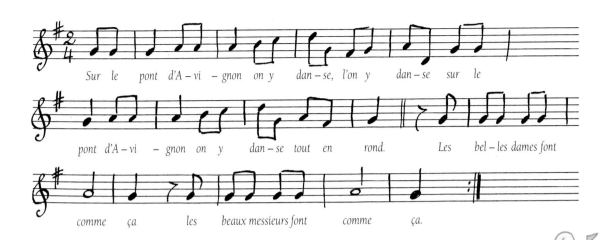

Sur le pont d'A – vi – gnon on y dan – se, l'on y dan – se sur le

pont d'A – vi – gnon on y dan – se tout en rond. Les bel – les dames font

comme ça les beaux messieurs font comme ça.

Sur le pont d'Avignon

Sur le pont d'Avignon
on y danse, on y danse.
Sur le pont d'Avignon,
on y danse tout en rond.
Les belles dames font comme ça,
les beaux messieurs font comme ça.

Sobre el puente de Aviñón

Sobre el puente de Aviñón
nosotros bailamos, nosotros bailamos.
Sobre el puente de Aviñón
nosotros bailamos siempre en círculo.
Las bellas damas hacen así,
los apuestos caballeros hacen así.

Ein Männlein steht im Walde (Alemania)

¿Quién será ese hombrecito del que nos habla este canto alemán?
Permanece bien calladito en el bosque, vestido sólo con su capa roja, y nos
mira silencioso desde abajo... Es fácil de adivinar: ¡una seta!

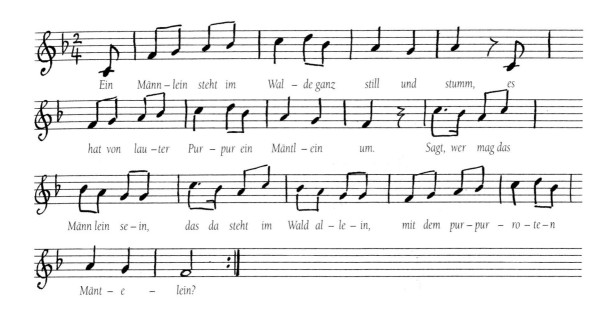

Ein Männlein steht im Walde

Ein Männlein steht im Walde ganz still und stumm,
es hat von lauter Purpur ein Mäntlein um.
Sagt, wer mag das Männlein sein,
da das steht im Wald allein,
mit dem purpurroten Mäntelein?

En el bosque hay un hombrecito

En el bosque hay un hombrecito que callado está,
escondido en la capa carmesí.
¿Quién sabe quién es el hombrecito
que en el bosque está solito
bien envuelto en su capa roja?

O du lieber Augustin (Austria)

Agustín, el protagonista de este célebre canto popular austriaco, es feliz de verdad. Sin un céntimo en el bolsillo, pero con muchos amigos, recorre el mundo contento.

La melodía vivaz, un himno a la despreocupación, a menudo se canta en coro en ocasiones especialmente alegres.

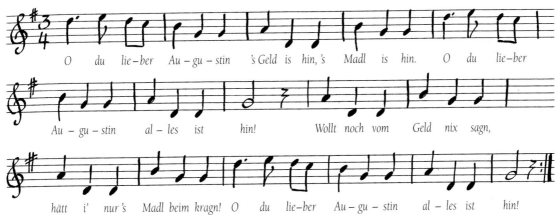

O du lieber Augustin

O du lieber Augustin
's Geld is hin, 's Madl is hin.
O du lieber Augustin
alles ist hin!
Wollt noch vom Geld nix sagn,
hätt i' nur 's Madl beim krag'n!
O du lieber Augustin
alles ist hin!

Oh, tú, querido Agustín

Oh, tú, querido Agustín,
has dejado el dinero
y el amor se ha marchado.
Oh, tú, querido Agustín,
lo has dejado todo.
No penséis más en el dinero:
¡yo sólo quisiera a mi chica en mis brazos!
Oh, tú, querido Agustín,
¡lo has dejado todo!

Rida, rida, ranka (Suecia)

Se trata de una retahíla que se canta a los más pequeños sosteniéndolos sobre las rodillas e imitando el paso, el trote o el galope del caballo, en cierto modo como suele hacerse en España con el canto *Arre caballito*.

Rida, rida ranka

Rida, rida, ranka
Hästen hettar Blanka,
Vart skall vi rida,
Jag skaut och fria,
Til en liten piga.

Trota, trota, caballo

Trota, trota, caballo,
la dama ha ido al baile,
corre por acá,
corre por allá,
¿quién te encontrará?

33

Madama Doré (Italia)

Este canto toscano es uno de los más célebres del repertorio popular italiano. La señora Doré tiene muchas hijas y todas son bellas. Por eso se presentan caballeros valientes para pedir su mano y casarse con ellas. ¿Cómo acabará? ¡Os toca escoger a la más bella!

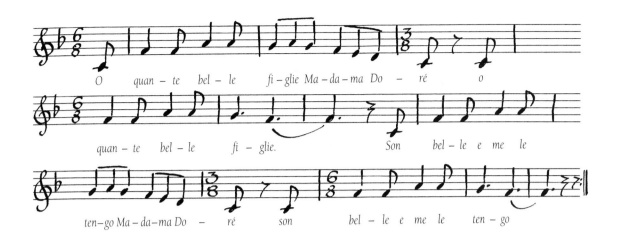

O quan - te bel - le fi - glie Ma - da - ma Do - ré o

quan - te bel - le fi - glie. Son bel - le e me le

ten - go Ma - da - ma Do - ré son bel - le e me le ten - go

Señora Doré

Oh, cuántas bellas hijas, señora Doré,
oh, cuántas bellas hijas.
Son bellas y me las quedo, señora Doré,
son bellas y me las quedo.
¿Me daría una, señora Doré,
me daría una?
¿Qué quiere hacer con ellas, señora Doré,
qué quiere hacer con ellas?
Quiero casarme con ella, señora Doré,
quiero casarme con ella.
Escoged a quien os parezca, señora Doré,
escoged a quien os parezca.
La más bella que haya, señora Doré,
la más bella que haya.
Me la quiero llevar, señora Doré,
me la quiero llevar.

Madama Doré

O quante belle figlie Madama Doré
o quante belle figlie.
Son belle e me le tengo Madama Doré
son belle e me le tengo.
Me ne dareste una Madama Doré
me ne dareste una?
Che cosa ne vuoi fare Madama Doré
che cosa ne vuoi fare?
La voglio maritare Madama Doré
la voglio maritare.
Scegliete chi vi pare Madama Doré
scegliete chi vi pare.
La più bella che ci sia Madama Doré
Più bella che ci sia.
La voglio portar via Madama Doré
La voglio portar via.

Podemos jugar utilizando este canto como fondo sonoro. Para ello nos colocamos en círculo, cogidos de la mano, con la mirada hacia el centro.

Dando vueltas en dirección antihoraria cantamos la primera estrofa y nos movemos al ritmo del canto. Un bailarín, escogido al principio, canta todas las respuestas, avanzando en dirección horaria.
El jugador que está «fuera» puede inventar cada vez las respuestas que daría la señora Doré.

La Rosina bella (Italia)

Rosita, la protagonista de este canto lombardo, va al mercado cada día: el lunes compra una cuerda, el martes los zapatos, el miércoles los nísperos y así sucesivamente. Es una retahíla cantada que puede acompañarse de gestos que recuerden lo que se va comprando en el mercado.

Ver - rà quel dì di lu - ne al mer - cà a com -

prà la fu - ne.

Lu - ne la fu - ne e

fi - ne non a - vrà. E la Ro - si - na bel - la in sul - mer

cà e la Ro - si - na bel - la in sul mer - cà.

Los compases comprendidos entre los dos asteriscos deben ejecutarse una vez en la primera estrofa, dos veces en la segunda, tres veces en la tercera, etc.

La Rosina bella   La bella Rosita

Verrà quel dì di lune
al mercà a comprà la fune.
Lune la fune
e fine non avrà.
E la Rosina bella in sul mercà
e la Rosina bella in sul mercà.

Verrà quel dì di marte
al mercà a comprà le scarpe.
Lune la fune
Marte le scarpe
e fine non avrà.
E la Rosina bella in sul mercà
e la Rosina bella in sul mercà.

Verrà quel dì di mercole
al mercà a comprà le nespole.
Lune la fune
Marte le scarpe
Mercole le nespole
e fine non avrà.
E la Rosina bella in sul mercà
e la Rosina bella in sul mercà.

Verrà quel dì di giove
al mercà a comprà le ove.
Lune la fune
Marte le scarpe
Mercole le nespole
Giove le ove
e fine non avrà.
E la Rosina bella in sul mercà
e la Rosina bella in sul mercà.

Verrà quel dì di venere
al mercà a comprà la cenere.
Lune la fune
Marte le scarpe
Mercole le nespole
Giove le ove
venere la cenere
e fine non avrà.
E la Rosina bella in sul mercà
e la Rosina bella in sul mercà.

Verrà quel dì di sabato
al mercà a comprare l'abito.
Lune la fune
Marte le scarpe
Mercole le nespole
Giove le ove
Venere la cenere
Sabato l'abito
e fine non avrà.
E la Rosina bella in sul mercà
e la Rosina bella in sul mercà.

Verrà quel dì di festa
al mercà a comprà la vesta.
Lune la fune
Marte le scarpe
Mercole le nespole
Giove le ove
Venere la cenere
Sabato l'abito
Festa la vesta
e fine non avrà.
E la Rosina bella in sul mercà
e la Rosina bella in sul mercà.

Vendrá el lunes
al mercado a comprar la cuerda.
Lunes la cuerda
y final no tendrá.
Y la bella Rosita va al mercado
y la bella Rosita va al mercado.

Vendrá el martes
al mercado a comprar los zapatos.
Lunes la cuerda,
martes los zapatos
y final no tendrá.
Y la bella Rosita va al mercado
y la bella Rosita va al mercado.

Vendrá el miércoles
al mercado a comprar los nísperos.
Lunes la cuerda,
martes los zapatos,
miércoles los nísperos
y final no tendrá.
Y la bella Rosita va al mercado
y la bella Rosita va al mercado.

Vendrá el jueves
al mercado a comprar los huevos.
Lunes la cuerda,
martes los zapatos,
miércoles los nísperos,
jueves los huevos
y final no tendrá.
Y la bella Rosita va al mercado
y la bella Rosita va al mercado.

Vendrá el viernes
al mercado a comprar la ceniza.
Lunes la cuerda,
martes los zapatos,
miércoles los nísperos,
jueves los huevos,
viernes la ceniza
y final no tendrá.
Y la bella Rosita va al mercado
y la bella Rosita va al mercado.

Vendrá el sábado
al mercado a comprar el traje.
Lunes la cuerda,
martes los zapatos,
miércoles los nísperos,
jueves los huevos,
viernes la ceniza,
sábado el traje
y final no tendrá.
Y la bella Rosita va al mercado
y la bella Rosita va al mercado.

Vendrá el día de fiesta
al mercado a comprar el vestido.
Lunes la cuerda,
martes los zapatos,
miércoles los nísperos,
jueves los huevos,
viernes la ceniza,
sábado el traje,
fiesta el vestido
y final no tendrá.
Y la bella Rosita va al mercado
y la bella Rosita va al mercado.

Scarborough Fair (Inglaterra)

En esta balada inglesa de la época medieval se habla de un amor imposible: el protagonista encarga a un mensajero que acuda a la Feria de Scarborough (una pequeña ciudad en la costa del mar del Norte) para buscar a una muchacha que allí se encuentra. Pero las pruebas que ella debe pasar son difíciles de verdad: coser una camisa sin usar aguja, lavarla sin agua... ¿Podrán el perejil, la salvia, el tomillo y el romero ayudar a la desventurada a superarlas?

Are you go - ing to Scar - bo - rough Fair? Pars - ley,

sage, rose - ma - ry and thyme, re - mem - ber

me to one who lives there; for she once

was a true love of mine.

Scarborough Fair

Are you going to Scarborough Fair?
Parsley, sage, rosemary and thyme,
remember me, to one who lives there;
for she once was a true love of mine.

Tell her to make me a cambric shirt
parsley, sage, rosemary and thyme,
without any seam or needlework
and then she'll be a true love of mine.

Tell her to wash it in yonder dry well
parsley, sage, rosemary and thyme,
where water ne'er sprung hor drop of rain fell
and then she'll be a true love of mine.

Tell her to find me an acre of land
parsley, sage, rosemary and thyme,
between the sea foam and the sea sand
and then she'll be a true love of mine.

And if she tells me she can't I'll replay
parsley, sage, rosemary and thyme,
let me know that, at least she will try
and then she'll be a true love of mine.

La Feria de Scarborough

¿Vas a la Feria de Scarborough?
Perejil, salvia, romero y tomillo,
recuérdame a las personas que allí viven;
ella fue un verdadero amor para mí.

Dile que me cosa una camisa de lino,
perejil, salvia, romero y tomillo,
sin costuras y sin usar aguja
y ella será un verdadero amor para mí.

Dile que la lave bien y la deje del todo seca,
perejil, salvia, romero y tomillo,
donde el agua nunca brota y donde no cae
una gota de lluvia
y ella será un verdadero amor para mí.

Dile que me busque un acre de tierra,
perejil, salvia, romero y tomillo,
entre el agua salada del mar y la orilla
y ella será un verdadero amor para mí.

Si dice que no puede hacerlo, yo responderé,
perejil, salvia, romero y tomillo,
hazme saber que al menos lo intentará
y ella será un verdadero amor para mí.

What shall we do with the drunken sailor? (Irlanda)

Proviene de irlanda este canto de marineros.
«¿Qué hacemos con un grumete borracho?», gritan a coro.
¡Más vale tirarlo al agua que verlo así desde que amanece! Un canto vivaz y rítmico, a menudo escogido por los irlandeses para animar alegres veladas en los *pubs*, si es posible en compañía de una buena jarra de cerveza.

What shall we do with the drun-ken sai-lor what shall we do with the

drun-ken sai-lor what shall we do with the drun-ken sai-lor ear-ly in the

morn-ing? Hoo-ray and up she ri-ses Hoo-ray and up she ri-ses

Hor-ray and up she ri-ses ear-ly in the mor-ning.

Bodhràn

Entre los instrumentos de la música tradicional irlandesa, el bodhràn es, sin duda, el más difundido. Es un gran tambor que el intérprete sostiene recto sobre las rodillas y golpea con la mano o con una baqueta de madera.
Su forma, muy parecida a la de un cedazo, nos recuerda que era utilizado antiguamente para acompañar las músicas durante las fiestas vinculadas a la siega.

Tin whistle

También se conoce como «flauta irlandesa» y se halla difundido en la música tradicional de este país.
Su nombre deriva del material utilizado para su construcción, la hojalata, un material económico que también por este motivo lo hace muy popular.
Es una flauta recta de sonido agradable y penetrante.

43

What shall we do with the drunken sailor?

What shall we do with the drunken sailor (3 veces)
early in the morning?
Hooray and up she rises (3 veces)
early in the morning!

Take him and shake him and try to wake him (3 veces)
early in the morning!
Hooray and up she rises (3 veces)
early in the morning!

Give him a taste at the bos' sun's ropes-end (3 veces)
early in the morning!
Hooray and up she rises (3 veces)
early in the morning!

Give him a dose of salt and water (3 veces)
early in the morning!
Hooray and up she rises (3 veces)
early in the morning!

That's what to do with the drunken sailor (3 veces)
early in the morning!
Hooray and up she rises (3 veces)
early in the morning!

¿Qué hago con un grumete borracho?

¿Qué hago con un grumete borracho (3 veces)
desde la mañana?
¡Hurra! ¡Por la mañana se levanta temprano! (3 veces)
¡Cogerlo, sacudirlo, tratar de despertarlo (3 veces)
desde la mañana!
¡Hurra! ¡Por la mañana se levanta temprano! (3 veces)
¿Hacerle probar un contramaestre enfadado (3 veces)
desde la mañana?
¡Hurra! ¡Por la mañana se levanta temprano! (3 veces)
¿Darle una dosis de agua y sal (3 veces)
desde la mañana?
¡Hurra! ¡Por la mañana se levanta temprano! (3 veces)
¿Eso debemos hacer con el grumete borracho (3 veces)
desde la mañana?
¡Hurra! ¡Por la mañana se levanta temprano! (3 veces)

Zeg Moeder waar is Jan? (Holanda)

Del país de los molinos de viento y los tulipanes llega esta alegre melodía. Se habla de Juan: ¿dónde debe estar? ¡No logramos encontrarlo! Ha ido a casa de su tía, que ha organizado una buena fiesta donde se puede comer rosquillas y beber una taza de chocolate.

46

Zeg Moed – er, waar is Jan? Daar gin – der, daar gin – der – Zeg

Moe – der waar is Jan? Daar gin – der komt hij aan.

Zeg Moeder, waar is Jan?

Zeg Moeder, waar is Jan?
Daar ginder, daar ginder.
Zeg Moeder, waar is Jan?
Daar ginder komt hij aan.

Waar is hij dan geweset?
Bij tante, bij tante.
Waar is hij dan geweset?
Bij tante op het feest.

Wat heeft hij daar gehad?
Een koekje, een koekie!
Wat heeft hij daar gehad?
Een koekje met een gat!

Wat kreeg hij daar nog na?
Een kopje, een kopje!
Wat kreeg hij daar nog na?
Een kopje chocola!

Dime, mamá, ¿dónde está Juan?

Dime, mamá, ¿dónde está Juan?
Está allí, está allí.
Dime, mamá, ¿dónde está Juan?
Está allí y ya viene.

¿Dónde ha estado?
En casa de la tía, de la tía.
¿Dónde ha estado?
En casa de la tía, en una fiesta.

¿Qué ha comido?
¡Galletas, galletas!
¿Qué ha comido?
Galletas con agujero.

¿Y después?
¡Una taza, una taza!
¿Y después?
¡Una taza de chocolate!

47

¿Dónde están las llaves?

(España)

En esta melodía popular española se habla de un precioso castillo, pero ¿dónde están las llaves? ¡En el fondo del mar, y alguien tendrá que encontrarlas!

Castañuelas

Son instrumentos muy difundidos en España y se utilizan para acompañar rítmicamente el canto o los pasos de danza. El sonido viene dado por dos pequeños bloques de madera que se sujetan entre los dedos y se golpean uno contra otro.

Yo ten - go un cas - ti–llo, ma–ta - ri–le, ri – le, ri – le Yo ten –

go un cas - ti–llo, ma–ta - ri – le ri – le rón, pim pón. ¿Dón – de es –

tán las lla–ves? ma–ta - ri–le ri – le ri – le ¿Dón–de es – tán las

llaves? ma–ta - ri–le ri – le rón, pim pón.

¿Dónde están las llaves?

Yo tengo un castillo, matarile – rile – rile...
Yo tengo un castillo, matarile – rile – rón, pim pon.

¿Dónde están las llaves? Matarile – rile – rile...
¿Dónde están las llaves? Matarile – rile – rón, pim pon.

En el fondo del mar, matarile – rile – rile...
En el fondo del mar, matarile – rile – rón, pim pon.

¿Quién irá a buscarlas? Matarile – rile – rile...
¿Quién irá a buscarlas? Matarile – rile – rón, pim pon.

Irá Carmencita, matarile – rile – rile...

¿Qué oficio le pondrá? Matarile – rile – rile...

Le pondremos peinadora, matarile – rile – rile...

Este oficio tiene multa, matarile – rile – rile...

Tengo una muñeca (España)

Mi muñeca va vestida de azul. Hace unos días la saqué de paseo y ¡se resfrió!
Pero el doctor, que es un poco extraño, me ha dicho que debe tomar jarabe...
¡con un tenedor!
Este canto es vivaz y rítmico. Podemos cantarlo dando
palmadas en los puntos indicados en la partitura.

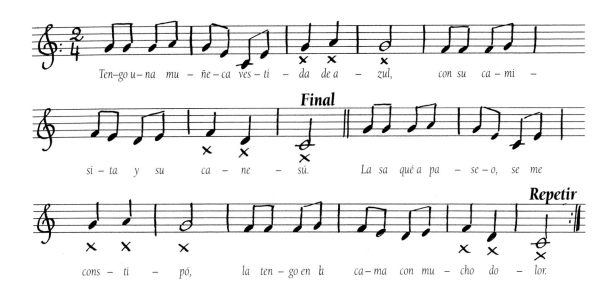

Ten-go u–na mu – ñe–ca ves–ti – da de a – zul, con su ca–mi –

Final

si – ta y su ca – ne – sú. La sa qué a pa – se–o, se me

Repetir

cons – ti – pó, la ten – go en la ca – ma con mu – cho do – lor.

Tengo una muñeca

Tengo una muñeca
vestida de azul,
con su camisita
y su canesú.

La saqué a paseo,
se me constipó,
la tengo en la cama
con mucho dolor.

Esta mañanita
me dijo el doctor
que le dé jarabe
con un tenedor (2 veces).

Dos y dos son cuatro,
cuatro y dos son seis,
seis y dos son ocho,
y ocho dieciséis,
y ocho veinticuatro,
y ocho treinta y dos.

Ánimas benditas,
me arrodillo yo.

Índice